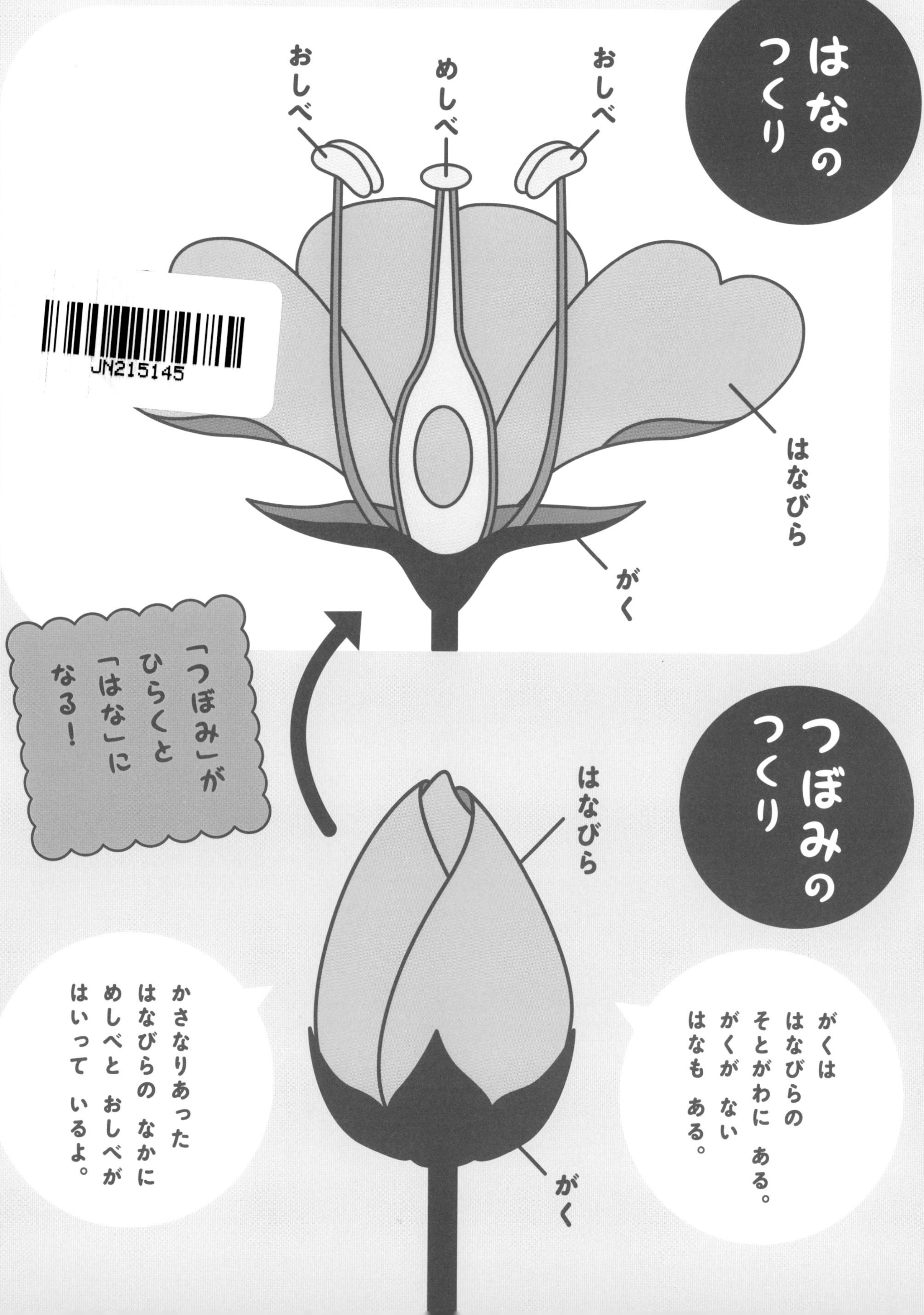
はなの つくり
おしべ
めしべ
おしべ
はなびら
がく
「つぼみ」が ひらくと 「はな」に なる！
つぼみの つくり
はなびら
がく
がくは はなびらの そとがわに ある。 がくが ない はなも ある。
かさなりあった はなびらの なかに めしべと おしべが はいって いるよ。

はじめに

すこしずつ　ひが　みじかくなって　くると、
あきの　はなが　さきはじめます。
そして、きおんが　さがって　ふゆが　ちかづくと、
はなを　さかせる　くさや　きの　かずは、へって　いきます。
この　ほんでは、あきに　みつかる
いろいろな　しょくぶつの、つぼみを　しょうかいします。
「どんな　はなが　さくのかな？」と
そうぞうしながら　よんで　みて　くださいね。

なんのつぼみ？

あき

もくじ

なんの　つぼみ？　1

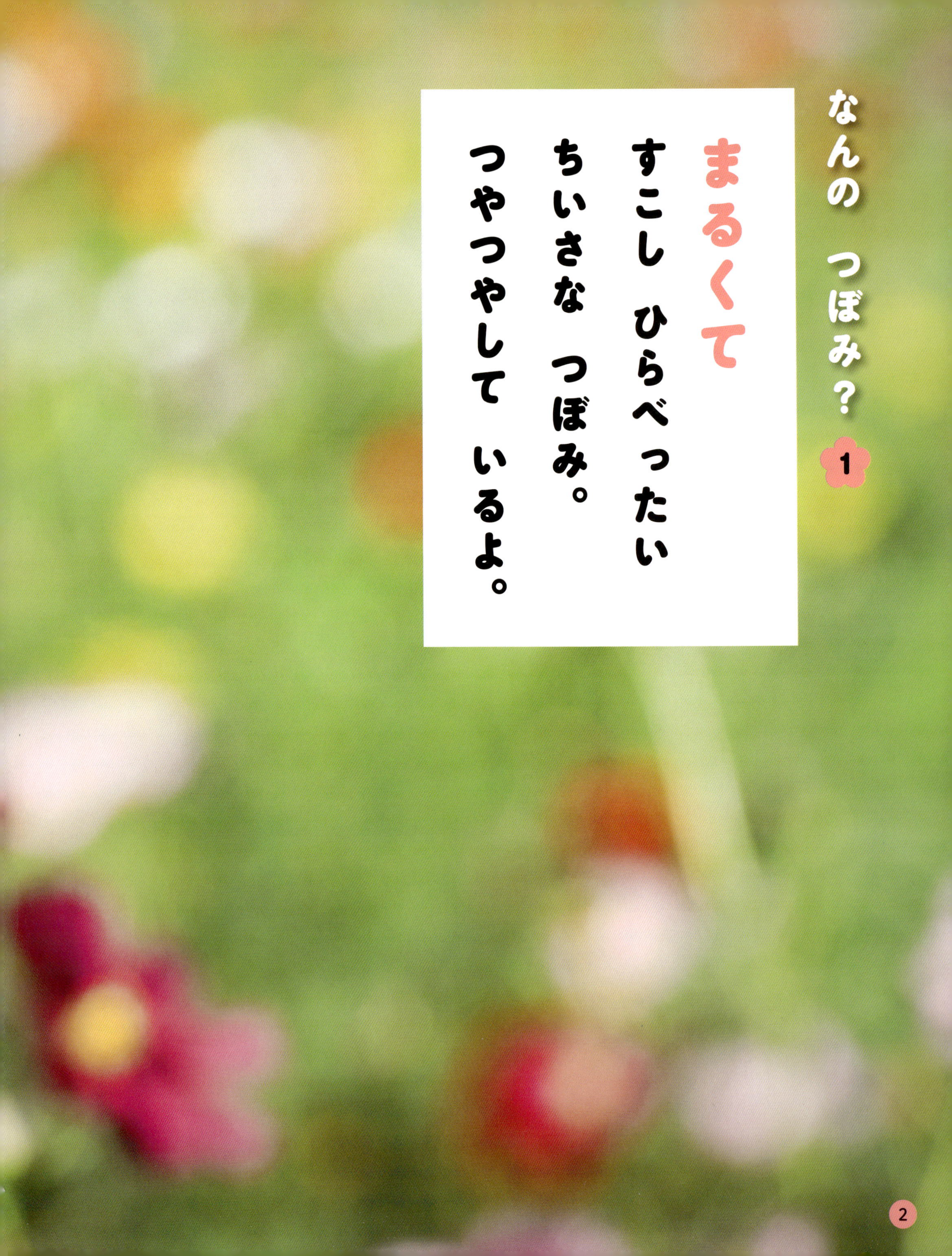

まるくて
すこし　ひらべったい
ちいさな　つぼみ。
つやつやして　いるよ。

なんのつぼみかな？
つやつやと
ひかって　いるね
こうえんや
かだんで
みつかるよ

ひらく ところを みて みよう

はじめは
つやつや
して いる。

みどりいろの
つぼみが
すこしずつ
いろづいて
くる

ふくらんだ
つぼみが
すこしずつ
ゆるんで きたよ。

だんだん
ひらいて
きた！

コスモス《こすもす》のはながさいた！

コスモス《こすもす》を じっくり みて みよう！

はなびらは はちまい きれいに ならんで いるよ
ふちが ぎざぎざに なって いる

まんなかの
きいろの ところを
かこむように
ピンク《ぴんく》の はなびらが
きれいに ならんで いるよ。

いちまいの はなびらは
いつつの ほそい はなが
くっついて できたので、
ぎざぎざして いるんだ。

つつのような かたちの ちいさな はなが あつまって いる

コスモス《こすもす》の
はっぱは
とても ほそいから、
つよい かぜが
ふいても
たおれにくいんだ。

コスモス《こすもす》は
ひが みじかくなると
はなを さかせる。
いちめんの
コスモス《こすもす》ばたけは
あきを しらせる
ふうけいの ひとつ。

まめちしき

コスモスの
しんせきを
しょうかいするよ。

なつから さくよ

キバナコスモス《きばなこすもす》

チョコ《ちょこ》みたいな
かおりが する！

チョコレートコスモス《ちょこれえとこすもす》

なんの つぼみ？ 2

あかい いろの
うえを むいた つぼみ。
フォーク《ふおうく》みたいに
わかれて ついて いるよ。

たんぼの へりや
かわの どてで
みつかるよ

なんの つぼみ かな？

ひとつの ところから いくつかの つぼみが でて いるね

ひらく ところを みて みよう

にまいの
まくのような
ものに
つつまれて
いる。

つぼみが
ぎゅっと
かたまって いる

いくつも ある
つぼみが
かおを だしたよ。

はなが
ひらきはじめた！

つぼみ どうしが
はなれて
だんだん つぼみが
よこむきに なるよ。

ひがんばなが
さいた！

ひがんばなを じっくり みて みよう！

いっぽんの くきに
むっつぐらいの
かずの はなが
ついている
おしべと
めしべは
はなびらよりも
うんと ながい

ひとつの はなの
はなびらは
ろくまい
なみうって
いる
くるんと
そりかえった
はなびら

うえを むいて
ひとつに かたまって いた
つぼみは、
だんだん ひろがって
よこむきに なって ひらくよ。
おしべと めしべは
とっても ながい！

はなが
さいて いる ときは
はっぱが ない。
はなが **かれた あと**
はっぱが
でて くる。

かわの どてや
たんぼの
へりなどに
うえられている。
あきの
おひがんの ころに
はなが さくよ。

まめちしき

ひがんばなの
しんせきを
しょうかいするよ。

オレンジ《おれんじ》いろ！

きつねのかみそり

うすい
ピンク《ぴんく》いろ！

なつずいせん

ほそながい　はなびらと
それを　つつむ
はっぱのような　ものが
びっしり！

なんの　つぼみ　かな？

ほそい
はっぱのような
ものに
つつまれて いるね
かだんや
にわで
みつかるよ

ひらく ところを みて みよう

はじめは
ひらべったい
かたちで
みどりいろ。

はなびら
はっぱのような
ものに
つつまれて
いる

つぼみが
そだって
はなびらが
みえて きた！

すこしずつ
ひらいて
きたよ。

きくの はなが さいた！

きくを じっくり みて みよう！

しゅるいによって はなびらの かずは ちがうよ
いちまい いちまいが ちいさな はな

きくと コスモス《こすもす》は おなじ なかま。どちらも ちいさな はなが たくさん あつまって、ひとつの はなを つくって いるんだ。

はっぱの ふちは ぎざぎざに なって いるよ。

はっぱの ふちが ぎざぎざ！
ふかい きれこみが あるよ

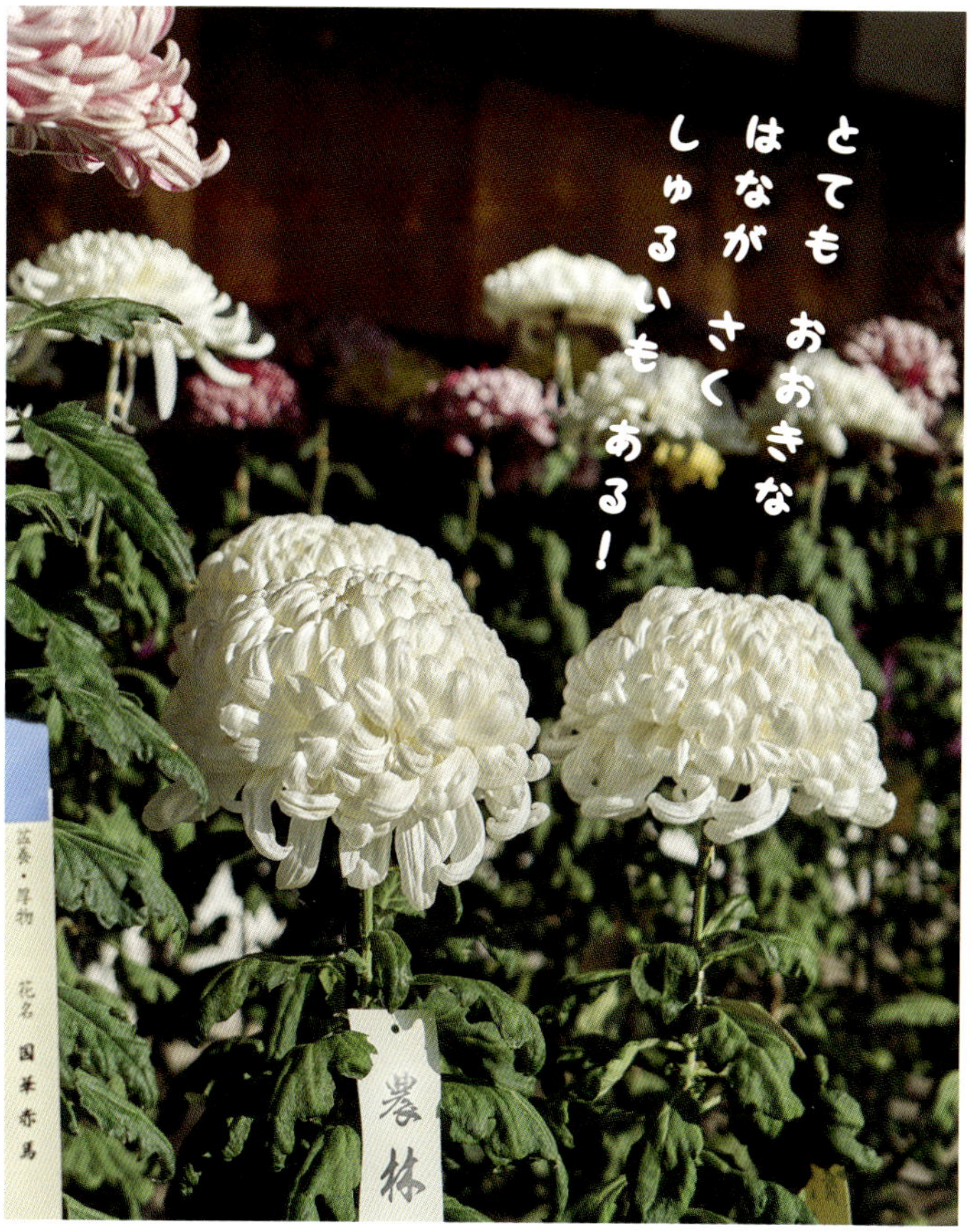
とても
おおきな
はなが さく
しゅるいも
ある！

のぎくは
はなびらが
すくないよ

きくは、にほんで
ながく あいされて
きた はな。
あきには
きくを たのしむ
ぎょうじが ある。

のやまに はえる
きくは
のぎくと
よばれて いる。
あきに なると
いろいろな
のぎくが さくよ。

まめちしき

おはなやさんで
いろいろな
きくを
かえるよ。

ピンポン《ぴんぽん》だま
みたいな きく

えだわかれした
スプレー《すぷれえ》ぎく

はなびらが
おおい きく

たれさがった
えだに
むらさきいろの
ひらべったい つぼみが
たくさん ついて いるよ。

おてらや
のやまで
みつかるよ

なんのつぼみかな？

バナナ《ばなな》みたいなかたちのつぼみだよ

ひらく ところを みて みよう

ちいさな
つぶつぶが
ふさに なって
ついて いる。

つぼみは
ふさに なって
たくさん つく

ふくらんで
むらさきいろに
なって きた。

はっぱに ちかい
ところの はなが
ひらいた！

はぎの
はなが さいた！

はぎを じっくり みて みよう！

ちょうちょが
はねを ひろげたような
かたち
この なかに
めしべと おしべが
かくれて いる

はなは、
ちょうちょが
はねを
ひろげたような
かたちを して いる。

めしべと おしべは
はなびらの なかに あって、
さいしょは みえない。
むしが とびこんで くると、
おもてに とびでて くる。

めしべと
おしべ

さんまいで
ひとつ

ほそい　えだに
びっしりと
ちいさな　はなが
さく。
えだが　**たれさがる**
しゅるいが
おおい。

はっぱは、
ひとつの
ところから
さんまい　でて　いる。
まるい　かたちや、
ほそながい
かたちを
して　いる。

まめちしき

ちょうちょの
はねのような
かたちの　はなは
ほかにも！

からすのえんどう

はなが　あつまって
ふさに
なって　いるよ
ふじ

あきの き のつぼみ

オレンジ《おれんじ》いろのつぼみが
ぎっしり!

きんもくせいが
さいた!

ころんとした
まるいつぼみ

ちゃのきが
さいた!

ながい
じくが ある
ピンク《ぴんく》の
つぼみ

ぎゅっと
あつまった
つぼみ

じゅうがつ
ざくらが
さいた！

ひいらぎが
さいた！

あきの かだんの つぼみ

はなびらが
みっちりと
かさなって
いるよ

ダリア《だりあ》が
さいた！

はっぱの
あいだに
かくれて
いるよ

けいとうが
さいた！
ちいさな はなが
いっぱい！

はっぱの　つけねの
たまのような　つぼみ

さきが　とがった
あかい　つぼみ

せんにちこうがさいた！
はなは　ここ！

サルビア《さるびあ》がさいた！
はなは　ここ！

あきの のやま の つぼみ

けが はえた
うえむきの つぼみ

ちいさな つぶつぶが
ついて いるよ

ほととぎすが さいた！

おみなえしが さいた！

しゅっとした
ほそい
つぼみ

くきの さきに
ひろがった つぼみ

かわらなでしこが
さいた！

しおんが
さいた！

すすきの つぼみと はな

はな

あきの のはらで
ゆれる すすき。
ほは、たくさんの
はなの あつまりなんだ。

つぼみは、
あきの はじめごろ
みつけることが できる。
ほそい ふでのような
かたちを
して いるよ。

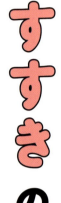

✿監修　小池　安比古（こいけ・やすひこ）

プロフィール

東京農業大学 農学部 教授。専門は花卉園芸学、人間植物関係学。JFTD学園日本フラワーカレッジ非常勤講師も務める。監修書に『色と形で見わけ　散歩を楽しむ花図鑑』ナツメ社、『かわいい花（学研の図鑑LIVE petit）』学研プラス、『東京植物図譜の花図鑑1000　花の仲卸さんが作った「花図鑑」』日本文芸社、『はじめてのずかん　しょくぶつ』高橋書店、『読んで楽しむ　草花の事典』成美堂出版。

✿写真　平石　順一（ひらいし・じゅんいち）

プロフィール

東京で生まれ、島根県で育つ。写真スタジオを経て独立。写真歴三十五年。書籍、雑誌、ウェブなどで撮影を行う。日本各地の自然の景観や四季折々の温泉などを多数撮影。植物を撮る時には、花の色彩や質感、肉眼ではわかりにくい形を、写真を通して鮮明に表現できるよう工夫している。この本を通じて、つぼみから花へだんだん形や色を変えていく植物のおもしろさや美しさを感じてもらえたらうれしい。

✿参考資料

『色と形で見わけ　散歩を楽しむ花図鑑』ナツメ社

『かわいい花（学研の図鑑LIVE petit）』学研プラス

『東京植物図譜の花図鑑1000　花の仲卸さんが作った「花図鑑」』日本文芸社

『はじめてのずかん　しょくぶつ』高橋書店

『読んで楽しむ　草花の事典』成美堂出版

『子どもと一緒に見つける 草花さんぽ図鑑』永岡書店

『見わけがすぐつく花図鑑』成美堂出版

『道草ワンダーランド』NHK出版

『タンポポ ハンドブック』文一総合出版

『つぼみたちの生涯　花とキノコの不思議なしくみ』中央公論新社

きせつの　つぼみを　みつけよう！

なんの　つぼみ？　あき

監修　小池安比古
写真　平石順一
デザイン　パパスファクトリー
校正　宮澤紀子

発行者　鈴木博喜
編　集　大嶋奈穂
発行所　株式会社　理論社
〒101-0062　東京都千代田区神田駿河台2-5
電話　営業 03-6264-8890　編集 03-6264-8891
URL　https://www.rironsha.com

2025年2月初版発行　2025年2月第1刷発行

印刷　光陽メディア　製本　東京美術紙工
上製加工本

ISBN978-4-652-20666-9　NDC471
A4変型判　27×22cm　32P

撮影協力／湯島天満宮、龍眼寺

つぼみの かんさつ カード《かあど》

なまえ

ひづけ　　がつ　　にち（　　ようび）

じかん　　じごろ

みつけたのは　　　　のつぼみ

●つぼみの えを かいて みよう。

●いろ、かたち、おおきさ、におい、
つぼみの かず、どこで みつけたか、
くきに どんなふうに ついているかなど
かんさつして かいて みよう。

※この ページ《ぺえじ》を コピー《こぴい》して つかってね。